Le Maroc

Directeur de collection
Michel Buntz Agence photographique Hoa Qui

Responsable éditoriale
Corinne Fossey

Illustrations et carte
Jean-Michel Kirsch

Grands Voyageurs

Le Maroc

TEXTE Hugues DEMEUDE

PHOTOGRAPHIES Jacques BRAVO ET Xavier RICHER

ÉDITIONS DU CHÊNE

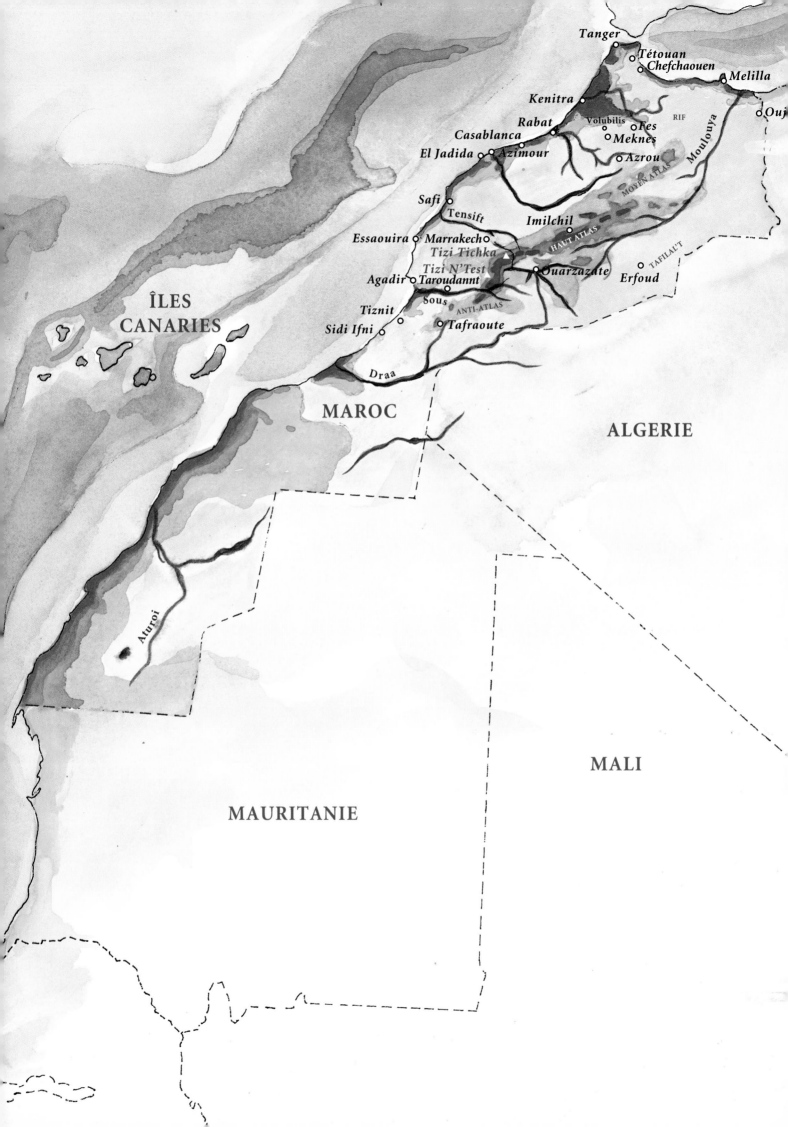

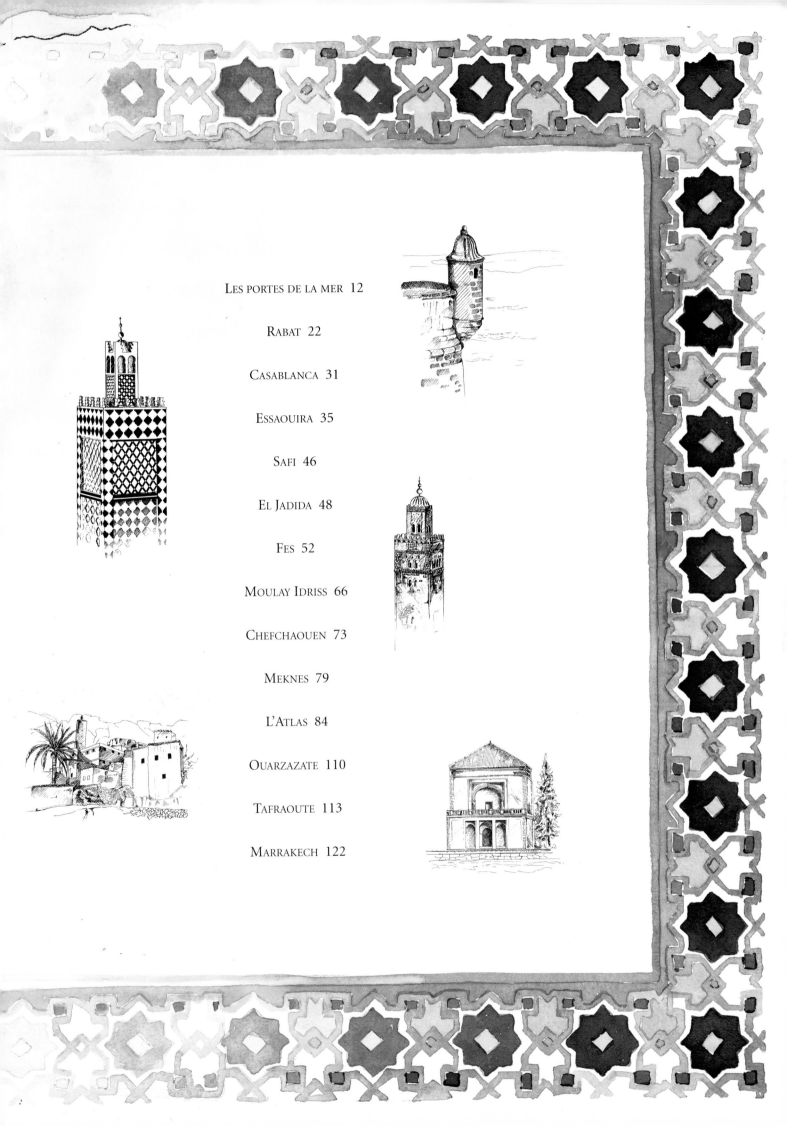

Terre de légendes, véritable creuset de civilisations, le royaume du Maroc n'en finit pas de cultiver son mystère. Foyer vivant d'une culture métissée où les multiples traditions surmontent aussi bien les apports positifs que les méfaits de la modernité, le monde marocain dévoile des richesses étonnantes à qui veut s'initier à ses beautés. Peut-être plus qu'ailleurs dans ce pays aux situations géographiques et géologiques majestueuses, fort de tous les paysages possibles, l'énigme de la vie a façonné les esprits.

Des plages blondes de l'Atlantique et des côtes escarpées de la Méditerranée aux montagnes arides et enneigées où trônent des sommets à plus de 4000 m, des forêts de cèdres aux vastes horizons sableux, le Maroc ravit le voyageur par la beauté de ses sites et de ses paysages. Mais aussi et peut-être plus encore, les qualités que ce pays préserve avec fierté sont de cœur et d'esprit : associé à ce monde qui manifeste un énigmatique prodige, le peuple marocain, qu'il soit indifféremment arabe, berbère ou saharien, semble en osmose avec la nature, et comme elle, manifeste sans compter sa générosité. D'ailleurs, la religion musulmane, qui encadre et oriente dans les moindres nuances depuis près de douze siècles l'histoire de ce royaume chérifien, s'est développée et perpétuée tout naturellement sur cette terre bénie : le mystère de ce monde prodigieux n'est-il pas l'empreinte de la perfection divine ?

Que de trésors sont en effet à découvrir dans cette mosaïque de paysages ! Depuis la fondation du premier royaume islamique fondé au VIIIe siècle par Idriss Ier en provenance d'Orient, que de traces y a t-il également à poursuivre pour comprendre l'ampleur et l'importance d'une histoire mouvementée, pleine de vitalité et de créativité, écrite par tout juste six dynasties ! Enfin, que de rencontres et de moments chaleureux y a t-il à vivre pour saisir l'âme de ce peuple humble et passionné !....

Le Maghreb El Asqa – le pays de l'extrême occident – tel que le surnommèrent les géographes musulmans venus d'Orient, frappe l'esprit par le contraste de ses paysages tantôt accidentés, tantôt tendus à l'horizon. Au centre du Maroc règnent les hautes montagnes du Haut et du Moyen Atlas, qui lancent vers le ciel des massifs imposants et élevés. Le djebel Toubkal trône à 4167 m et permet aux skieurs de pratiquer leur passion sur les pistes de Oukaïmeden. Plus au Nord-Est, le djebel Ayachi près du cirque de Jaffar maintient ses cimes à 3737 m. Au Nord, surplombant la Méditerranée, la chaîne rifaine forme un croissant montagneux légendaire, où le djebel Tidirhine culmine à 2456 m, tandis qu'au Sud, l'austère plateau de l'Anti-Atlas fait face au Sahara. Ces montagnes magiques, de par leurs neiges et leurs eaux, permettent d'irriguer grâce à de nombreux « oueds » le versant atlantique qui s'étire sur près de 2500 kilomètres, le versant méditerranéen long de plus de 500 kilomètres, et dans une moindre mesure un immense versant saharien. La terre marocaine n'en que plus généreuse avec ses habitants. Bois et forêts de cèdres et de chênes, arganiers, oliviers, palmiers, orangers, amandiers, vignes, maïs, orge, blé, henné, ou encore un grand nombre de légumes, rythment selon les saisons la vocation agricole du Maroc. Par sa présence et sa situation géographique, par ses ressources hydrologiques et les bienfaits qu'il dispense, l'Atlas impose donc cohérence et unité au Maroc.

Unité géographique sur laquelle se fond une histoire ancestrale marquée par la présence berbère, puis successivement par la venue des Phéniciens, des Romains, des Vandales et des Byzantins. Paysages éblouissants que rencontre en 682, de façon déterminante pour la formation de la nation marocaine, l'armée d'Arabes musulmans de Oqba Ben Nafi qui porte à l'extrême Occident avec la parole du prophète Mahomet, le message de l'Islam. Un siècle plus tard, Idriss Ben Abdallah – descendant de Ali, le gendre du prophète – trouve asile sur cette terre bénie, devient le premier sultan

Pages suivantes :
Taroudannt et l'Atlas enneigé

du royaume islamique du Maghreb El Asqa et favorise l'essor de la religion musulmane qui va vite devenir le socle et la voûte de l'unité marocaine. Dès lors, les nobles descendants du prophète, qui fondèrent les dynasties Idrissides, Saadiennes, et Alaouites, ainsi que les puissantes aristocraties berbères, représentées par les dynasties Almoravides, Almohades et Mérinides, vont donner naissance et développer, « à la gloire de Dieu », une culture, une architecture, un artisanat, un art de vivre tout à la fois authentique et spécifique. L'Islam, qui a soudé si intensément durant toute son histoire les différentes composantes du peuple marocain, est profondément tolérant, ouvert et bienveillant. Il suffit, pour s'en rendre compte, de se frotter à la chaleur, à l'hospitalité et la simplicité, dont témoignent à longueur de journée l'architecte de Casablanca, l'orfèvre de Chefchaouen, le pêcheur d'Essaouira, le berger berbère du Haut-Atlas, la responsable d'hôtel de Marrakech, la femme Touareg du Sahara… Comme le rappelle le roi Hassan II dans son livre *le Défi* : « Le Maroc ressemble à un arbre dont les racines nourricières plongent profondément dans la terre d'Afrique et qui respire grâce à son feuillage bruissant aux vents d'Europe ».

L'Europe a d'ailleurs tout intérêt à comprendre et privilégier cette influence, ce souffle. Le roi Hassan II, en conclusion de son livre publié en 1976, reprend les propos d'un expert italien alors vice-président de la Commission des Communautés Européennes : « Au delà, cependant, des multiples liens que l'histoire, la géographie et les échanges humains ont établis entre l'Europe et le Maroc, il y a le fait que la Méditerranée représente une zone d'importance vitale pour la Communauté Européenne. Le développement des bonnes relations entre tous les pays riverains sont une condition essentielle pour la stabilité, voire la sécurité, de l'ensemble des pays qui sont réunis dans la Communauté Européenne. » Vingt ans plus tard, ce commentaire reste d'actualité.

Étagée en amphithéâtre face à la Méditerranée, Tanger s'est largement transformer depuis cinquante ans. La porte Bab Bhar est une des portes de l'Afrique.

Carrefour mythique entre l'Europe et l'Afrique, point de convergence entre les eaux vertes de l'Atlantique et les eaux bleues de la Méditerranée, Tanger est à la fois la porte du Maroc, l'escale légendaire des marins du monde entier, et la ville cosmopolite qui attire depuis plus d'un siècle les âmes vagabondes.

Dans un livre qu'il a consacré à cette ville en 1990 (éditions Quai Voltaire), le journaliste français Daniel Rondeau rapporte une parole significative d'un des plus célèbres résidents de Tanger, l'écrivain américain Paul Bowles : « J'avais toujours su qu'un jour dans ma vie, j'entrerai dans un lieu qui me donnerait à la fois la sagesse et l'extase ». «Tanger la blanche » fût pour Bowles en 1931 cet endroit, sa révélation. Place commerciale stratégique sur le détroit de Gibraltar pour les Phéniciens, enjeu de rivalités pendant plus d'un siècle entre les Idrissides et les Omeyyades d'Espagne, témoin de luttes farouches pour sa mise sous tutelle par chacune des dynasties berbères, concession internationale entre 1923 et 1959, Tanger déborde d'une histoire tumultueuse. Le charme opère à tel point que la ville, prisée par les voyageurs du monde entier, était

devenue le port d'accueil des artistes en quête d'authenticité, le rendez-vous des riches excentriques aussi bien qu'une halte grisante pour les aventuriers de tous poils… Daniel Rondeau le souligne : « Pour un peu, des maisons du cap Spartel ou des murailles de la casbah, on pourrait croire qu'il suffit d'étendre le bras pour toucher l'Espagne. Si proche que pendant des années, l'Europe a traversé le détroit comme on passe le gué d'une rivière, en été, pour aller pique-niquer chez des amis. On est venu de partout, pour une semaine, pour un mois, pour la vie. Tanger était une partie de plaisir un peu mélancolique pour les demi-solde du monde moderne ».

Si aujourd'hui la ville ne résonne plus avec les mêmes accents enjoués des festivités heureuses, ne concentre plus avec autant de gourmandise les regards venus d'Europe, Tanger reste une destination qui ravit les sens. Étagée en amphithéâtre face à la Méditerranée, elle permet à ses trois cent cinquante mille habitants de couvrir des yeux le panorama d'une large baie calme et colorée. Les plages blondes forment comme un anneau reliant une

Depuis les hauteurs du Rif, la Méditerranée se tend à l'horizon. La côte méditerranéenne est entaillée de petites criques isolées et tranquilles.

Sur l'estuaire du Bou Regreg,
qui relie Rabat et Salé, les passeurs
en barque vont d'une rive à l'autre.

mer verte, lisse jusqu'à l'horizon, et une terre qui s'élève au gré de la pente de ses sept collines. Protégée par celles-ci du souffle émanant de l'Atlantique, la ville s'est largement transformée depuis cinquante ans. De grands immeubles et des constructions imposantes, poussés de terre, la montrent sous l'aspect d'une métropole maritime moderne. Autour du « Petit Socco », le vieux quartier du souk dans la médina – la ville traditionnelle, selon la désignation européenne – par où circulaient traditionnellement les marchandises allant et revenant du port, des hôtels, des banques, des restaurants se sont installés. Quelques ruelles plus loin, la place du 9 avril 1947, plus couramment nommée le « Grand Socco » vibre encore des bruits et des sons d'un monde très vivant, tonne toujours des invectives et des rires ancestraux des artisans et des commerçants. Dans ce grand souk surveillé par le minaret en faïences polychromes de la mosquée Sidi Bou Abid, les paysannes berbères venues du Rif voisin, vêtues de façon caractéristique par la pièce d'étoffe rouge à rayures blanches appelée « fouta », et coiffées de chapeaux à pompons bleus, présentent avec art toutes sortes de

fruits, de tissus et paniers. L'air se charge d'odeurs fortes, de parfums subtils et âpres. L'histoire se vit ici au présent de l'indicatif. La médina de Tanger est également célèbre pour sa kasbah qui abrite le « Dar el Makhzen », le palais du Sultan. Construite dès la fin du XVIIe siècle selon les désirs du Sultan Moulay Ismaël, cette forteresse évoque des styles de vie rudes et farouches et témoigne de raffinements architecturaux et des nuances artisanales qui, dans le cadre du palais, sont les signes d'un grand art de vivre. Les colonnes de marbre, les plafonds de cèdre, les arcs décorés renferment désormais le musée des Antiquités et le musée des Arts Marocains. Il est en quelque sorte la vitrine de ce monde sans vitrine.

Au royaume de la lumière, Rabat rayonne. Seconde ville du Maroc avec près d'un million d'habitants, Rabat est la capitale administrative, le siège du gouvernement et le foyer de l'autorité royale. De toutes les villes marocaines, elle est la mieux entretenue, la plus fleurie, la plus cossue. D'une grande capitale, elle a l'aspect impeccable et riche, notamment le long de l'avenue Mohamed V entre

Un fier Rbati au costume traditionnel navigue sur le fleuve Bou Regreg qui rejoint l'océan Atlantique. La célèbre kasbah des Oudaïa de Rabat vue de l'ancienne ville de Salé. Pages suivantes :
Le chellah, entouré de puissants remparts, est un endroit attachant de Rabat.

Cette porte de la muraille d'enceinte de la kasbah des Oudaïa conduit à un musée et à un jardin très appréciés par les Rbatis.

la grande mosquée et le quartier des ministères, non loin du Palais Royal. L'influence européenne est forte, mais n'enlève rien au charme de la ville qui a su préserver et mettre en valeur les cinq éléments qui la constituaient intégralement au début du siècle : la médina lovée entre l'océan et l'oued Bou Regreg, la kasbah des Oudaïa, le palais Royal, la nécropole de Chella, et la vieille ville de Salé, de l'autre côté du fleuve Bou Regreg.

La kasbah des Oudaïa de Rabat rappelle ces temps anciens où l'Almohade Yacoub el Mansour fit de la ville sa capitale. Pour protéger l'estuaire d'éventuelles attaques, il fit ériger au XIIe siècle cette forteresse au dessus du port, qui devint alors un quartier militaire et administratif puissant. La majestueuse porte des Oudaïa – qui sont en fait les descendants de redoutables guerriers arabes en rébellion avec les sultans chérifiens – reste l'un des fleurons de l'art almohade.

La médina de Rabat, plus petite et moins traditionnelle que celles de Marrakech et Fes, conserve néanmoins les mêmes méandres, palpite avec autant d'ardeur, distille d'identiques odeurs à celles

que connut le général Lyautey quand il décida en 1912 de faire de Rabat le centre administratif du protectorat français, et d'interdire toute nouvelle construction dans l'enceinte de la médina. Elle se blottit entre la muraille almohade et la muraille des Andalous et offre un accès au port de l'estuaire.

Dans ce qu'il convient d'appeler la ville nouvelle, les deux monuments les plus célèbres de Rabat – la tour Hassan et le mausolée Mohamed V – sont rassemblés sur une esplanade qui symbolise le rayonnement et la fière indépendance du Maroc. La tour Hassan, silhouette élancée de 44 mètres qui se détache de la ville depuis l'ouest, est l'ancien minaret de la grande mosquée construite par Yacoub el Mansour. Ses entrelacs losangés, ses arcs tréflés, typiquement almohade, rappellent la mosquée de la Koutoubia de Marrakech en suggérant les mêmes sentiments de robustesse et de majesté. Face à cette prestigieuse tour, le mausolée de Mohamed V, le grand sultan alaouite qui mourut cinq ans après avoir donné l'indépendance à son pays en 1956, est un chef d'œuvre de l'artisanat marocain. A la mesure du respect dont la

Le heurtoir en argent représentant la main de fatima éloigne le mauvais œil et porte chance.

figure du roi est toujours entouré, l'ensemble des bâtiments dans lequel repose le mausolée est décoré de façon somptueuse. Sculptures sur bois et sur marbre, zelliges – ces frises de mosaïques rouge vif, noir et vert azur –, bronze ciselé, vitraux, invitent à la contemplation et au recueillement.

Au sud de Rabat s'étend l'objet de toutes les attentions : le Palais Royal. Véritable ville dans la ville, le Palais est construit au fond d'un impressionnant « méchouar », qui est traditionnellement la grande place où se réunissaient les tribus durant les fêtes. Au moment de la prière du vendredi à 12h30, lorsque le roi réside à Rabat, il est possible de voir le souverain suivi de son cortège royal traverser l'esplanade pour se rendre à la mosquée el Faeh. Défilé solennel, somptueux, qui évoque la force des traditions, la foi intense des croyants et la majesté de celui qui les gouverne.

Pour faciliter la liaison entre Rabat, capitale administrative et centre diplomatique du Maroc, et Casablanca, foyer économique ardent vers lequel convergent les plus riches comme les plus pauvres marocains, une autoroute, la seule du pays, a été

La médina de Rabat est célèbre pour la blancheur de ses rues et la beauté colorée de ses portes. Les Rbatis se livrent en effet à de véritables compétitions de couleurs pour mettre en valeur leurs portes anciennes et bien entretenues.
Pages suivantes :
Le 3 mars, chaque année, la Fête du Trône commémore l'accession au trône du roi Hassan II.
C'est l'occasion de réunir pour deux jours les responsables du pouvoir de tout le pays.

Le mausolée de Mohamed v,
grand lieu de pèlerinage,
est un joyau de l'art islamique.
L'architecture, le bois et le métal
sculptés, les mosaïques de faïences
aux motifs réguliers invitent
au recueillement.

La mosquée Hassan II est, après la Mecque, le plus grand lieu de prière du monde musulman. Gigantesque, majestueuse, elle élève son minaret à 200 m du sol. Près de 10 000 maîtres et apprentis ont fait de ce monument une splendeur artistique.

construite. Celle-ci longe la côte et réduit les distances entre les deux villes qui se distribuent les pouvoirs. Casablanca est une ville qui se développe toujours et encore, toujours un peu plus. Si au début du siècle elle n'est qu'une petite ville sans mémoire historique, « Casa », comme on l'appelle, est devenue progressivement une gigantesque métropole tentaculaire. Abritant officiellement 4 millions d'individus, et peut-être plus, Casablanca est la quatrième ville d'Afrique après Le Caire, Alexandrie et Lagos. De fait, « aller à Casa », pour y trouver du travail et les moyens d'une subsistance qui fait encore trop souvent défaut dans les parties pauvres du Maroc, est une résolution courante. La ville continue donc de grossir, de s'activer la journée sans répit et en tous sens, de susciter les énergies et les espérances. Comme tous les mondes qui entretiennent les rêves, Casa offre des contrastes saisissants entre l'opulence et le faste de certains quartiers bourgeois derrière lesquels Beverly Hills est une simple copie, et la pauvreté de nombreux quartiers qui, malgré les faibles moyens dont ils disposent, sont très vivants. Le descendant d'une grande famille de Fes ou

*F*ontaine décorée de façon
caractéristique par des zelliges,
les panneaux découpés de
céramiques.
Page de droite :
L'architecture de la mosquée
HassanII remplit l'espace
avec harmonie.

de Marrakech reconverti dans les affaires, l'ancien promoteur ou le jeune trader, côtoient mais ne vivent décidément pas dans le même monde que le vieil habitant de la médina, que le jeune cireur de chaussures ou le vieux paysan berbère exilé de son Atlas lointain pour gagner un peu plus… Casablanca est une ville à l'occidentale. Le centre de la cité, avec ses grands buildings, ses tours consacrées aux affaires, ses larges boulevards envahis de voitures zigzaguantes, ses grands jardins et ses esplanades spacieuses, reflètent des plans d'urbanisme typiquement occidentaux. La rue principale, jouxtant le nouveau centre d'affaire appelé *Twin center*, au niveau du boulevard Roudani, est même appelée « les Champs Élysées de Casa » en raison de la concentration de magasins chics, de restaurants, pubs et galeries commerciales. Plus loin, après le parc de la Ligue arabe, la place des Nations-Unies qui est en fait le centre

Des femmes à la beauté nonchalante, vêtues du costume traditionnel d'Essaouira,
discutent près des remparts.
Les remparts pourpres d'Essaouira évoquent l'importance de la fabrication
de cette matière colorée aux alentours de la ville.

• Essaouira, la bien dessinée •

L'étroite presqu'île sur laquelle s'étend Essaouira est un site antique qui était bien connu des marchands phéniciens et apprécié des Romains. Mais c'est en 1765, selon la volonté du sultan alaouite Mohamed ben Abdallah, que Essaouira va devenir la fameuse cité « bien dessinée », « la Saint-Malo africaine ». Alors que les Portugais au début du XVIe siècle avaient construit un petit port et une forteresse sur ce site appelé Mogador, et après que les Saadiens en reprirent possession, le sultan alaouite voulût absolument créer un port d'autant plus important qu'il aurait pour objectif de rivaliser avec celui d'Agadir, par trop rebelle au pouvoir central. A cette fin, il fit travailler un architecte français captif, Théodore Cornut. Celui-ci dessina et édifia le premier port et la kasbah. La sqala de la kasbah avec ses nombreux canons, la médina, puis le mellah (le quartier juif) et les remparts tels que l'on peut les admirer aujourd'hui, furent construits peu après.

Pages précedentes :
Essaouira est la halte reposante
du voyageur, son oasis de fraîcheur.
C'est une fleur bleue
et blanche qui dégage un parfum
de sérénité.

administratif de la ville, est entourée de somptueux bâtiments ocres. Le palais de justice et la préfecture s'ouvrent sur un immense terre-plein continuellement emprunté. Depuis celui-ci, à partir de 17h15, le spectacle du coucher de soleil est superbe : la lumière mordorée, rosissante, irise dans une grande clarté les murs des immeubles. En poursuivant vers le port sur l'avenue Hassan II, la place Mohamed V donne l'accès à de nombreuses avenues et boulevards, constituant par la même le carrefour le plus animé. L'ancienne médina toute proche, comme dans les autres villes marocaines, est un labyrinthe de ruelles à ciel ouvert sur lesquelles s'ordonnent toutes sortes d'échoppes, de petits commerces. Restauration rapide, alimentation, instruments pour le foyer, pour l'habillement, tabac, sont proposés à la foule de passants qui remplissent les petites artères de la médina.

Après le port qui prolonge sur une grande étendue ce vieux noyau de la jeune Casa, en longeant l'océan vers le sud, se détache la formidable mosquée Hassan II. Inaugurée le 30 août 1993, elle a été érigée à l'extrême occident musulman. Après la Mecque, elle est le plus grand lieu de prière du monde musulman. Gigantesque, majestueuse, elle élève son minaret à 200 mètres du sol. D'une superficie de 20 000 m², la salle de prière peut accueillir 25 000 fidèles et son esplanade peut soutenir 80 000 personnes. Symbole de l'unité de la nation et du peuple marocain, puisque chaque marocain a contribué financièrement à son édification, elle représente aussi la pérennité et la vitalité de l'artisanat marocain traditionnel car près de 10 000 artisans, maîtres et apprentis, ont travaillé à sa construction et son embellissement.

Sur la corniche casablancaise, plus au sud, se concentrent une myriade d'établissements balnéaires, de restaurants huppés, de boîtes de nuit, et même un bar de jazz. La nuit, quand les rues du centre de Casa ont été désertées et que les familles se retrouvent réunies dans le foyer, cet endroit scintille et **propose** des réjouissances nocturnes habituelles pour les Européens mais qui ont peu cours dans l'ensemble du monde musulman.

Les 350 kilomètres séparant Casablanca de la superbe petite ville d'Essaouira forment une route côtière des plus agréables à parcourir. Plusieurs villes méritent ainsi une halte prolongée. A commencer par Azemmour qui, à une grande encablure de Casa, plonge le voyageur dans l'atmosphère d'une authentique ville marocaine. Petite cité aux petites maisons blanches, Azemmour préserve dans l'enceinte de ses remparts ocres et de ses jardins florissants un art de vivre plein d'une douce quiétude. Installée au bord de l'océan et à l'embouchure de l'oued Oum er-Rbia, c'est une cité calme, au climat agréable, qui vit et se perpétue grâce à l'agriculture.

Un peu plus loin, après avoir traversé le fleuve, l'ancienne cité portugaise de El Jadida se laisse découvrir. Forte de 150 000 habitants, c'est une ville qui s'ancre dans un passé reculé et qui risque de devenir un chef-lieu d'importance. Fondée par les portugais qui en font un comptoir au début du XVIe siècle, El Jadida garde les traces d'épisodes farouches où portugais et sultans de la dynastie alaouite se la disputèrent. Ainsi les remparts, avec notamment le

Les murs de l'ancienne médina sont blancs et les portes et les fenêtres sont bleues. Les canons portugais sur les remparts. Au fond, en perspective, la sqala de la kasbah.

*Le port d'Essaouira est réputé
pour son activité de construction
et d'entretien des chaluts.
Pages suivantes :
Aux environs de Safi la terre décline
les teintes de l'argile.*

bastion Saint Sébastien et le bastion de l'ange, fixent à jamais la dureté de ces temps guerriers. Aujourd'hui, la plage de El Jadida ou encore la création d'un port récent, vont assurer à la ville un développement économique paisible.

Après Oualidia, qui est une charmante petite ville, s'annonce sur cette route côtière la turbulente Safi. Ville portuaire de grande importance pour le Maroc, bien connue comme étant une grande pêcherie de sardines et un complexe industriel lié au phosphate, elle est surtout attirante par son vieux quartier. On lui préfèrera, à une centaine de kilomètres plus au Sud, la belle Essaouira.

Essaouira est la halte reposante du voyageur, son oasis de

*Les poteries de Safi, émaillées, aux reflets métalliques, sont à tel point réputées dans tout
le Maroc, qu'on les retrouve dans la plupart des foyers.*

• Safi, patrie de la poterie •

Les poteries de Safi sont très appréciées au Maroc. Selon une vieille histoire, des potiers de Fes se
trouvant aux alentours de Safi auraient découvert une argile d'une si bonne qualité qu'ils décidèrent
de s'installer dans cette ville pour faire des poteries de grande valeur.

Aujourd'hui, la centaine de fours de potiers juchés sur une des collines de la ville témoigne de la
grande activité de cet artisanat.

Le quartier des potiers, qui occupe la pente de cette colline, est plein de boutiques dans lesquelles
on peut admirer et acheter des assiettes, des bols, des tajines, à la fois émaillés, finement décorés et
très colorés. Une coopérative artisanale regroupe ces potiers et permet, grâce à son école, de
transmettre le savoir faire.

fraîcheur. Petite ville circonscrite par une enceinte régulière, Essaouira est toute bleue et blanche. Sur les façades de ses maisons passées à la chaux, comme sur leurs portes et fenêtres peintes avec plusieurs nuances de bleu, le soleil reflète une chaleur que le vent du large tempère.

Bien protégé et susceptible d'accueillir une flotte importante, le port d'Essaouira est vite devenu une des destinations principales des caravanes sahariennes chargées d'or, d'ivoire, d'ébène, de sel, de plumes d'autruches et d'esclaves. L'échange entre les produits venus d'Europe, comme les cotonnades, les épices ou le tabac, et les produits issus des routes caravanières, se concentre de plus en plus à Essaouira à tel point que la ville reçoit selon les estimations 40 % du trafic de la côte atlantique au début du XIXe siècle. Aujourd'hui, si la cité ne prospère plus avec la même effervescence, elle vit tout de même confortablement de la pêche, de l'artisanat et du tourisme, et conserve intact son charme d'antan. Un charme bien singulier imprimé par son urbanisme et son rythme de vie plein de sagesse, par la beauté nonchalante des femmes et la

*L*a ville fortifiée de El Jadida
évoque les épisodes farouches
durant lesquels les Portugais et
les sultans de la dynastie alaouite
ont combattus.

fraternité des hommes, mais aussi par la culture africaine des « gnaoua ». Foyer de cultures métissées rapprochant les Berbères et les Arabes, les Sahariens, les Juifs marocains et les Européens, Essaouira reste en effet très influencée par l'esprit des gnaoua, cette confrérie religieuse portée sur la musique de transe, de possession rituelle, et sur la géomancie. De nombreux artistes ont d'ailleurs été envoûtés par Essaouira : Saint Exupéry, Orson Welles, Nicolas de Staël, et Jimmy Hendrix, qui tenait absolument a acheter la ville entière, font partie de ces visiteurs qui ont gardé à jamais le souvenir de cette mystérieuse cité.

En progressant vers le Sud, juste avant d'atteindre Agadir, le paysage se transforme. Les roches se soulèvent, les couleurs sont plus marquées. Allongée sur la plaine du Sous, réfugiée entre le Haut Atlas et l'Anti Atlas, Agadir est la grande station balnéaire du Maroc qui accueille chaque année des centaines de milliers de touristes. Trois cents jours de soleil par an, une séduisante plage de sable fin longue de 10 kilomètres, un climat très clément qui permet de goûter idéalement le bleu intense du ciel et de l'océan, sont

La citerne portugaise est un haut lieu, plein d'un silence mystérieux, de El Jadida.

Les filets de pêche sur le port de El Jadida couvrent le sol tel des tapis colorés.

trois arguments majeurs qui précipitent dans ce jardin des délices les vacanciers en quête de farniente ou d'activités sportives. Ce lieu de détente, douloureusement frappé par un séïsme en 1960 qui tua 15 000 personnes, est également un centre productif actif. Dans le quartier d'Anza, les quelques réservoirs de pétrole, les cimenteries et les conserveries de poisson – qui sont complémentaires de ce premier port de pêche du Maroc – sont les indicateurs économiques d'une ville en forte croissance. Une des phrases prononcée par Mohamed V semble avoir servi de devise à la ville : « Si le destin a décidé la destruction d'Agadir, sa reconstruction dépend de notre foi et de notre volonté ».

*Les sept portes du Palais royal
ouvrent sur un monde secret
et merveilleux.
Une des plus anciennes
fontaines du vieux Fes.
Pages suivantes :
Fes vue depuis le Borj nord.*

Comme la sonorité de son appellation le suggère, le Rif est une région qui tranche, taille et singularise le Maroc du Nord. Zone montagneuse qui se dresse vigoureusement sur près de 250 kilomètres le long de la Méditerranée, la chaîne rifaine est large en son cœur de 150 kilomètres. Depuis les sommets mamelonnés jusqu'aux rivages cisaillés de la Méditerranée, les pentes abruptes de cette montagne, érodées par les torrents et les fortes pluies d'hiver, contribuent à former des paysages tourmentés et sauvages dans lesquels les berbères se fondent avec respect et autorité. Maîtres incontestés des lieux, les Berbères ont été, jusqu'à un passé proche, les souverains indomptables et redoutés d'une région réputée inaccessible.

La progression vers Chefchaouen, petite ville nichée dans la montagne à 800 mètres d'altitude, est lente, serpentée, et très agréable en vertu des jolis villages qui se détachent des flancs ocres de la montagne. Croisés sur le chemin, les paysans berbères à dos d'âne qui filent vers les marchés de Tétouan, les femmes typiquement vêtues de leur fouta et de leur chapeau à pompons, ou encore les

douanes volantes à la recherche de transporteurs de kif largement cultivé dans cette région, sont autant d'invitations à s'acclimater à la rude vie rurale du Rif. Puis, soudain, Chefchaouen apparaît. Blottie dans un vallon, la ville étale au regard de l'étranger, qui ne pouvait pas la voir du loin, ses toits rouges, ses terrasses blanches, ses portes et fenêtres bleues si chaudement méditerranéennes. La ville est d'emblée attachante. Étagée sur la pente du vallon, Chefchaouen est à la fois géométrique, par ses jeux d'imbrication de cubes que forment les maisons, et fantaisiste, par l'ordonnancement même de la cité, avec ses rues entremêlées. La ville fût fondée en 1471 par le prince arabe Ali Ben Rechid qui, après avoir définitivement quitté Grenade, voulut établir une place forte à partir de laquelle il pouvait lancer des attaques contre Ceuta dont le roi du Portugal s'était emparé. Chefchaouen témoigne donc, à travers sa kasbah, son enceinte et ses remparts, d'un passé militaire glorieux. Elle perpétue aussi, tout comme Tétouan, la mémoire d'un artisanat influencé par l'Andalousie. Si la cité a été par le passé une des places les plus florissantes au Maroc en ce qui

Les toits verts, couleur de l'islam, de la mosquée-université Qaraouiyine.

• La restauration de la médina de Fes •

Pierre Loti, ému par la vie de la médina, écrivait en 1889 : « Oh Maghreb sombre, reste bien longtemps encore muré, impénétrable aux choses nouvelles, tourne bien le dos à l'Europe et immobilise toi dans les choses du passé ». Un siècle plus tard, l'UNESCO a inscrit la médina sur la liste du patrimoine mondial et a engagé la réhabilitation complète de la vieille ville. L'État marocain a créé l'Ader-Fès afin d'exécuter les programmes de sauvegarde sur une cinquantaine de monuments parmi les plus remarquables, et sur un grand nombre de bâtisses. Le coût total de ce grand projet est estimé à 600 millions de dollars. Les « mââlems », maîtres de l'artisanat traditionnel, sont chargés de reconstituer les structures originales et de réhabiliter les éléments de décor afin de transmettre aux générations futures une médina toujours aussi immobile.

La medersa Bou Inania.
La medersa Es Sahrij.
La medersa El Attarin.

concerne l'artisanat, notamment sur le fer, le cuir et le bois, elle demeure un centre vivant où l'on trouve de remarquables objets en bois de cèdre sculptés et peints, et des tapis berbères non moins intéressants. Chefchaouen est également séduisante par la douceur de vivre qui s'y distille. L'odeur des fleurs, le bruit de l'eau, la démarche tranquille des chouanis qui tranche avec la pétulence des jeunes filles ou la grâce des femmes portant le haïk – le grand voile dont elles s'entourent – sont autant d'impressions fortes qui s'accentuent dans le cadre de cette ville que l'on dit sainte.

Dans les montagnes qui se succèdent après Chefchaouen, couvertes par endroit d'amandiers, de pins, de chênes lièges, et surtout de cèdres qui abondent vers 2000 mètres d'altitude, se répartissent des villages regroupant les tribus berbères. Pour la plupart agriculteurs, les Berbères travaillent sur les pentes escarpées des montagnes en

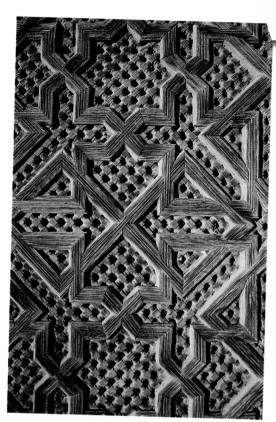

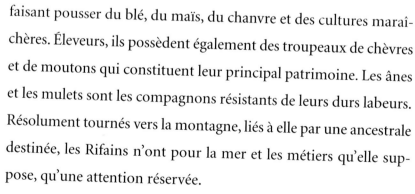

faisant pousser du blé, du maïs, du chanvre et des cultures maraî-
chères. Éleveurs, ils possèdent également des troupeaux de chèvres
et de moutons qui constituent leur principal patrimoine. Les ânes
et les mulets sont les compagnons résistants de leurs durs labeurs.
Résolument tournés vers la montagne, liés à elle par une ancestrale
destinée, les Rifains n'ont pour la mer et les métiers qu'elle sup-
pose, qu'une attention réservée.

Au pied de cette barrière montagneuse légendaire, situées dans son
giron, s'étendent les deux cités impériales : Meknès et Fes. Moins
renommée que sa très célèbre voisine, Meknès est pourtant si merveilleuse qu'elle est appelée la Versailles du Maroc. Meknès, qui s'al-
longe sur deux plateaux séparés par l'oued Boukefrane, rassemble
deux entités. L'une, la plus récente, occupe la rive droite de l'oued
et correspond à la ville nouvelle avec ses quartiers réguliers et

*La richesse et la variété de
motifs apportent à l'artisanat
du bois sculpté toute sa splendeur.
Le foundouq Nejjarin,
réhabilité dans le cadre du
programme de restauration
de Fes lancé par l'UNESCO,
laisse découvrir un
remarquable travail.*

*Séchage de la soie
sur les terrasses du vieux Fes.*

espacés. L'autre, sur la rive gauche, est occupée par la célèbre ville impériale et la médina. Célébrée à juste titre tant les fabuleux remparts courant sur 22 kilomètres, les portes monumentales, les ruines admirables des palais et des casernes, les jardins florissants, paraissent d'un autre monde. Ici, le grandiose confine à la démesure. Meknès fut fondée au IXe siècle par les Berbères Zanata, issus de la grande tribu berbère des Meknassa. Puisque la plaine sur laquelle ils s'installèrent était très fertile et abondait en eau, les Berbères appelèrent la ville « Meknassa ez Zeitoun », Meknès aux oliviers. Jusqu'au XVIIe siècle, la ville se développa doucement dans l'ombre de la grande ville impériale qu'était Fes. Mais à partir de la fin de ce siècle, au moment où Louis XIV régnait sur la France, Meknès se transforma totalement sous l'impulsion d'un homme : le redoutable sultan alaouite Moulay Ismaïl. Se méfiant de l'esprit rebelle des habitants de Fes et de l'esprit déluré des habitants de Marrakech, il transféra le centre de son royaume à Meknès et entreprit 1001 travaux durant son règne de cinquante cinq ans entre 1672 et 1727. Si l'ensemble des bâtiments qui formaient le palais sont mainte-

Le toit des maisons marocaines est toujours exploité dans une médina. La terrasse a de multiples raisons d'être. Ici, les tanneurs font sécher leurs peaux de cuir.

nant tout à fait détruits ou en ruines, certains vestiges, comme le grenier royal construit en sous-sol, permettent de saisir l'ampleur gigantesque de l'ancienne ville impériale. Ainsi, plus loin, on trouve les traces d'un bâtiment dont on pense qu'il devait être un complexe d'écuries pouvant abriter les 12 000 chevaux du sultan qui en raffolait. Vers le Sud, un vaste château – le Dar el Beïda – érigé par son petit fils, le sultan Sidi Mohamed Ben Abdallah, est aujourd'hui une académie militaire de renom.

Les portes ont un puissant pouvoir d'attraction à Meknès. Celles qui donnent accès à la médina continuent d'impressionner par leur aspect grandiose. Ainsi, Bab el Berdaïn, au nord de la médina, présente des proportions monumentales, et Bab el Khémis, à l'Ouest, subjugue par la richesse de ses décorations. Une autre porte, celle de Bab Moulay Ismaïl, donne accès au mausolée de Moulay Ismaïl qui, en faisant là aussi briller l'art de l'islam, illumine le souvenir d'un sultan pieusement révéré par les Marocains.

Carrefour des voies de communication entre la Méditerranée et l'Afrique noire, l'Atlantique et le Maghreb oriental, capitale

*M*oulay Idriss, nichée sur son rocher, est une ville sainte d'une extrême importance.

• Le moussem de Moulay Idriss •

Au Nord de Meknès, dominant les ruines de la cité romaine de Volubilis, la ville de Moulay Idriss est le premier lieu de pèlerinage du Maroc. Chaque année, les confréries religieuses et les pèlerins de toutes les régions du pays viennent se recueillir et se réunir autour du mausolée de Moulay Idriss, le fondateur du premier royaume islamique du Maghreb occidental. Ce fervent rassemblement qui donne lieu à de multiples festivités est appelé « moussem ». La fantasia est un des moments forts du moussem. De façon rituelle, des cavaliers en costume traditionnel, qui représentent chacun leur tribu, galopent ensemble et tirent en l'air des coups de feux avec leur « mokalha », le long fusil damasquiné utilisé depuis le XVIIe siècle. Mais le moment le plus impressionnant se déroule dans la soirée du vendredi et se poursuit pendant la nuit : les prières des participants forment une communion qui gravit les degrés de l'ivresse mystique et débouchent sur des transes expiatoires inouïes.

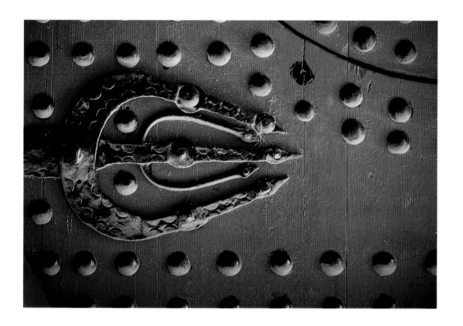

*Au Maroc, la porte est toujours
ouverte à l'étranger.
Pages suivantes :
Les ruines de Volubilis constituent
un musée à ciel ouvert qui évoque
l'antique présence romaine.
Le forum, cœur de la cité,
est entouré du Capitole,
d'un arc de triomphe, de thermes
et d'anciennes habitations.*

intellectuelle et foyer religieux, Fes, enchâssée dans ses remparts, est sans doute la plus précieuse des cités marocaines.

C'est en effet la première des villes impériales, la ville Sainte, aux communautés variées, à l'organisation fluide, au rayonnement étendu dans l'espace et le temps. Fief de la grande bourgeoisie marocaine, Fes est une cité active, qui manifeste une grande vitalité : qu'il s'agisse de Fes el-Bali – l'illustre quartier où ont élu domicile au IXe siècle les émigrés de Cordoue et de Kairouan – ou de Fes el-Jedid – la ville blanche dont la construction a été ordonné au XIIIe siècle par les Mérinides –, les habitants, dans un mouvement continuel, entrent et sortent d'une maison, d'une boutique, d'une ruelle, d'un jardin ou d'une mosquée. L'abondance de vivres, de produits de tous les horizons rappellent les glorieux temps où les caravanes richement fournies en épices, en soies et en or, faisaient une halte dans ce carrefour aussi incontournable que bien aimé. Le blé, les fèves, les citrouilles, les aubergines, les viandes, le poisson, les pâtisseries réjouissent comme dans les temps médiévaux l'acheteur et le vendeur. Fes est également la capitale de l'artisanat.

Chefchaouen est à la fois géométrique, par ses jeux d'imbrication de cubes que forment les maisons, et fantaisiste, par l'ordonnancement même de la cité, avec ses rues entremêlées.

Chefchaouen est une ville riante, où les enfants dévalent les rues sinueuses sans arrêt.

Les mosquées, les palais, les médersas (écoles coraniques) ou encore les fontaines, dans leur éclat éblouissant, sont autant de fleurons qui célèbrent le travail des ingénieux décorateurs, l'habileté des sculpteurs sur bois, l'intelligence des mosaïstes et des céramistes. Les artisans fassi conservent en effet leur renommée dans tout le monde musulman. Les mosaïques et autres zelliges, ces merveilleux panneaux de céramique ornant les sols et les murs, dans leurs couleurs bleue, verte, blanche ou noire, participent d'une véritable délicatesse du goût. L'influence andalouse est déterminante pour la sinuosité des motifs et la richesse de l'ensemble. La couleur bleue dominante égaye et rafraîchit. Dans tous les quartiers de la médina, qui sont pourtant comme indépendants les uns des autres, la fidélité à l'art hispano-musulman donne des chefs-d'œuvre.

Si l'embellissement et l'enrichissement de Fes manifestent le raffinement des sultans qui se sont succédés, l'épanouissement du savoir et des lieux de culture, à l'instar de la célèbre mosquée-université el Qaraouiyyin et des sept médersas, n'illustre pas moins la ferme volonté de ces sultans, en particulier sous l'époque mérinide, de

faire de la cité impériale un creuset intellectuel de grande envergure. Un creuset riche et fécond qui va façonner des siècles durant l'âme de la ville, jusqu'à lui imprimer un esprit frondeur et rebelle, craint autant par certains sultans que par les Français lorsqu'ils envahirent le Maroc. « Istiklal » (indépendance) est un mot qui a souvent résonné dans l'enceinte de la mosquée el Qaraouiyyin pendant les cinquante ans d'emprise française.

Les médersas distillent un savant mélange de vitalité et de quiétude, dans un environnement empreint de fraîcheur et de délicatesse. Les médersas Bu Inanya et Attarine sont sans doute les plus attachantes. Si un soin égal a été apporté au travail du bois sculpté et à ceux des zelliges, la Bu Inanya manifeste son originalité dans l'équilibre des différents plans et la majesté de l'édifice. L'eau est particulièrement présente dans cette médersa. On y trouve bien sûr la grande salle aux ablutions, avec ses vasques remplies d'eau, auprès desquelles les viennent se purifier les étudiants, les commerçants ou encore les boutiquiers qui vont ensuite se recueillir dans la salle de prière.

*La porte Bab El Mansour
aux grandes dimensions.
Entrée du mausolée
de Moulay Ismaël à Meknès.*

Le mausolée de Moulay Ismaël.
Toute la beauté cristalline de l'art islamique s'exprime dans la calligraphie.
Elle chante la louange de Dieu en unissant la communauté des croyants.

• Le mausolée Moulay Ismaël •

Le mausolée de Moulay Ismaël se compose de deux salles dont l'une est accessible aux non-musulmans. Cette pièce carrée comporte douze colonnes qui soutiennent une superbe coupole. La salle où repose ce sultan, très admiré par les Marocains pour sa farouche indépendance et son courage guerrier, est de dimensions plus importantes.

Les salles concentrent toute la splendeur de l'art islamique. Les mosaïques de faïences aux motifs réguliers, les stucs, les plâtres sculptés sont d'une telle beauté qu'ils semblent chanter la louange de Dieu et de son protégé. Les arabesques, au même titre que la calligraphie, allient la rigueur géométriques à la fantaisie des formes.

Le rythme de celles-ci captivent le regard et le transporte dans un monde qui semble dire à la fois le vrai et le beau.

Telouet, gros village à 1800 m d'altitude, était, avant la construction de la route passant par le col Tizi n'Tchika, un des lieux de passage des caravanes.
Pages précédentes :
Les hauts plateaux de l'Atlas avec le massif du Mgoun à l'horizon.

Arc montagneux aux gigantesques proportions qui se dresse au cœur du Maroc, le Haut Atlas est un bastion naturel aux massifs variés. Il forme un rempart de près de 700 kilomètres de long tantôt massif et élevé, tantôt creusé par une large vallée, ou encore abrupt et découpé par un canyon. Avec plus de cent sommets dépassant 3500 m, cet ensemble montagneux est un événement géologique toujours actif qui reste d'une grande complexité. Château d'eau du Maroc, il constitue aussi une frontière avec son versant septentrional qui se tourne sur un monde au climat doux et océanique, et son versant méridional qui fixe dans le lointain l'horizon désertique. Cette barrière de basalte,

*L*a ville de Rich.
Sur la route du Tizi n'Test,
la mosquée de Tinmal.

de calcaire et d'argile peut être franchie à trois niveaux par les véhicules modernes : au Tizi n'Test et au Tizi n'Tichka, et sur une piste qui part des hauts plateaux aux environs de Imilchil pour rejoindre les gorges du Dadès et du Todra.

Les tribus berbères vivent en nombre sur cette frontière aux multiples territoires, sur cette forteresse qui est le berceau de leurs identités. Sur les cinq grands massifs qui, du Nord-Est au Sud-Ouest, jalonnent le Haut Atlas – le djebel Ayachi à la forêt de cèdres, le djebel Mourik aux larges et hauts plateaux, le djebel Mgoun dont les sommets calcaires se dressent avec régularité et énergie, le djebel Toubkal aux cimes les plus élevées, et le djebel Ras Moulay Ali qui clôt en direction d'Agadir ce rempart montagneux – les Berbères ont maintenu une organisation sociale, des coutumes et un art de vivre tout à fait spécifiques. D'autant plus à l'écart des hommes qu'ils sont proches de Dieu, les Berbères, qu'ils soient paysans ou pasteurs, ont investi les versants et les vallées de cette majestueuse nature. Pour rencontrer ces hommes et ces femmes indépendants, pieux et mystérieux,

à l'hospitalité et la générosité légendaires, de nombreux itinéraires sont praticables. André Fougerolles, qui en a recensé bon
nombre dans son fameux livre sur le Haut Atlas, écrit à ce sujet :
« Un étonnant réseau de sentiers toujours vivaces y tisse quantité
d'itinéraires ajustables aux capacités et aux goûts de quiconque,
et pratiquement à longueur d'année, partout, sauf en hiver et au
printemps où les moyens de l'alpiniste et du skieur de montagne
sont indispensables pour affronter ses grands cols et ses cimes.
Une infinité de villages, de hameaux ou d'écarts, établis jusque
vers 2400 m d'altitude, abrite une population rude mais active,
amène quoique fière. (…) Un monde assurément attachant qu'il
faut connaître ».

Ce monde rural, qui garde le souvenir de glorieux ancêtres, est au
moins aussi attachant qu'il est complexe. À la multiplicité des paysages correspond en effet une grande variété de tribus, de dialectes,
de folklores. Les communautés berbères sont hétérogènes ; Trois
groupes majeurs sont à distinguer : les « berabers » qui parlent les
dialectes « tamazirht », sont encore nomades et semi-nomades, et

*Les hivers rigoureux
des hauts plateaux de l'Atlas.
Pages suivantes :
Tinerhir, dans la vallée du Dades.*

87

se déplacent le plus souvent entre l'Est du Haut Atlas, le Moyen Atlas central, et les vallées du Ziz, du Todra ou du Dadès ; les « chleuhs » qui parlent les dialectes « tachelhit », sont des agriculteurs sédentaires qui sont installés dans le Haut Atlas central et occidental, et dans l'Anti-Atlas ; enfin, les « rifains » qui sont d'origine zénète, habitent le Rif et parlent le tamazirht. Islamisés par les tribus arabes lors des invasions du VIIIe au XIIe siècle, les autochtones berbères, originaires eux-mêmes d'Orient et pour certains d'Afrique de l'Est, sont devenus profondément musulmans. Fièrement indépendants, vaillants combattants, les Berbères s'affrontaient souvent pour la possession de pâturages ou de routes de transhumances. André Bertrand remarque dans son livre *Tribus berbères du Haut Atlas* que : « si authenticité il y a – ou il y avait – c'est celle de la civilisation de la tribu, extrêmement raffinée, comparable par sa complexité à un tapis formé de milliers de petits brins. Mais la pacification française, en bloquant pendant quelques années les voies de transhumances, puis en effaçant les autonomies régionales, en a déchiré la trame, et aujourd'hui tout

*R*égion du Tichka.
Pages suivantes :
La vallée du Dadès se
métamorphose par endroit
en grand Ouest américain.

*D*adès. *Boulmane du Dadès.*
Gorges du Todra.

s'effrite, emportant ainsi un certain art de vivre ». Un phénomène tendrait à confirmer cette sombre observation : les maisons qui abritaient traditionnellement l'ensemble d'une même famille ne rassemblent plus désormais que la famille restreinte. La kasbah, que l'on désigne aussi couramment par le terme ksar (ksour, au pluriel), représente cet ancien habitat de la société patriarcale berbère. Village fortifié construit en pisé, c'est-à-dire composé en terre argileuse moulée entre deux planches, la kasbah réunit le clan mais également les récoltes et les animaux. Les murs sont épais et élevés pour bien résister aux assauts d'éventuels assaillants, et ont pour fenêtres de petites ouvertures afin de

La vallée du Dadès est la route des « mille kasbahs ». Travaillées par le vent et les intempéries, érodées, elles scandent le paysage avec majesté.

préserver la fraîcheur dans le foyer. L'architecture correspond aux besoins de la vie communautaire : la demeure a plusieurs étages, jusqu'à cinq ou six pour les plus richement pourvues, et s'organise selon une hiérarchie patriarcale. Entourée de puissants remparts, la kasbah est une citadelle, de petite taille ou de grande envergure, qui comprend également une mosquée, une place publique, et des greniers collectifs, appelés parfois « agadir ». Mais si les kasbahs sont encore habitées dans les vallées du Todra et du Dadès, et dans certaines oasis sahariennes, il est de plus en plus courant de les voir en ruines, travaillées par le vent, délaissées qu'elles sont au profit des maisons individuelles.

Bien que les tribus soient de plus en plus morcelées, que l'homme n'ait plus les prérogatives à part entière du guerrier, et que les nomades se sédentarisent peu à peu, les Berbères continuent de vivre au plus proche de la nature, selon le rythme des saisons. Le paysan laboure ses terres en automne avec opiniâtreté, muni d'une simple houe, comme dans les temps les plus reculés. L'hiver est la saison la plus rude, celle où la famille doit subir le froid et la neige,

celle où « la poutre maîtresse de la tente », c'est à dire la femme, doit aller chercher, parfois, de lourds fardeaux de chauffage. Le printemps est la saison de la fécondité qui permet au paysan de semer l'orge et le blé, et au pasteur de partir des vallées pour rejoindre les pâturages d'été. C'est aussi la saison où l'eau abonde, où les rivières en crues permettent de faire tourner les moulins qui vont donner du pain en quantité. L'été donne lieu aux récoltes et obligent les femmes à travailler doublement, au foyer et dans les petits champs. L'été en moyenne montagne, le parfum du romarin et de l'arbousier vient renforcer le sentiment de vitalité inscrit dans les paysages. Dans le Haut Atlas central et occidental, ce sont les genévriers, les pins d'Alep, les chênes verts, les noyers, et plus à l'ouest, les arganiers, qui colorent les monts et les vallons en les enrichissant de leur présence.

Chaque semaine les hommes s'évadent de la routine du quotidien en allant au souk afin de vendre et acheter des produits. Lieu de convergence des Berbères installés dans un périmètre donné, le souk est le marché hebdomadaire qui permet aux hommes de

Des champs et des vergers, des palmiers et des rosiers, serpentent le long de l'oued Dadès.

Page de droite :
Tinerhir est une petite ville prospère
environnée d'une des plus belles
palmeraies du Sud.

se retrouver, de négocier et de s'informer. Tout autour, le fidèle moyen de locomotion, qui est à la fois porte-charge – l'âne ou le mulet – attend le chemin du retour.

C'est à la fin des travaux agricoles, entre juillet et septembre, que se déroule la saison des fêtes. Ces festivités qui sont répandues dans tout l'Atlas sont importantes à plusieurs titres. D'abord parce qu'elles donnent lieu à des réjouissances qui durent plusieurs jours et rassemblent un grand nombre de villageois d'horizons divers, ensuite car elles permettent des rapprochements entre deux familles à travers le mariage de leurs enfants. En effet, cette saison des fêtes est étroitement associée à la célébration des mariages. Pendant plusieurs jours, les hauts plateaux, les vallons, les flancs de montagne résonnent donc des sons d'instruments variés, de chants et de frappements de mains. Intimement liées à

Cette femme de la région de Tissint
est parée de ses beaux bijoux d'argent.
Page de gauche :
Jeune fille berbère de l'Atlas.
Selon un dicton, « la femme est
la poutre maîtresse de la tente ».
Un autre proverbe marocain dit
« si tu vois une femme heureuse,
sache qu'elle y est pour quelque chose ».

Les bijoux berbères sont très importants. Selon un proverbe, « qui désire être belle doit supporter qu'on lui perce les oreilles ».

la musique et aux chants poétiques, les danses offrent un spectacle rituel. La principale forme de cette musique dansée est appelée « l'ahouach ». Les hommes jouent du tambour sur cadre, tenu par une main et frappé de l'autre, du tambour en forme de gobelet, ou encore de la flûte. À l'envoûtante musique répond des chants poétiques mélodieux et une chorégraphie en forme de ronde. Toujours joliment parées, les femmes forment le plus souvent le cercle en dansant. Les jours de fête, elles apportent un soin tout particulier à leur coiffure, à leur maquillage ainsi qu'à leurs bijoux d'argent. Leur chevelure, qui peut être tressée, rehaussée, colorée par des laines de couleur, est un signe d'appartenance tribale, tout comme le maquillage et le tatouage qui, en embellissant le visage, rattachent à une tribu et protègent du mauvais œil.

La ville d'Imilchil, centre administratif de la tribu des Aït Hadiddou qui se déploie sur les hauts plateaux, est un des lieux de rassemblement annuel les plus réputés. Le « moussem » (la fête), qui est organisé ici, est appelé « la foire aux fiancés » et rassemble des centaines de personnes pendant plusieurs jours. Le succès de

*Le poignard est
le compagnon de route du Berbère.
Il convient donc de le mettre
en valeur en ciselant l'argent.*

cœur et d'estime de ce moussem peut s'expliquer par l'atmosphère magique qui y règne. Déjà, selon la légende, les deux grands lacs d'Isli et de Tisli, qui se trouvent non loin du lieu des célébrations, symbolisent l'amour pour les Berbères. En effet, il y a très longtemps, un jeune homme et une jeune femme qui s'aimaient d'un amour éperdu et dont les familles refusèrent l'union, auraient tant pleuré que leurs larmes formèrent ces deux lacs mélancoliques. Comme pour célébrer et perpétuer ce mythe, les Aît Hadiddou organisent cette fête où s'achètent et se vendent des animaux, des tissus et des grains, et surtout où se rencontrent des hommes et des femmes qui veulent se marier. Fait étrange, les jeunes filles, mais aussi les veuves et les divorcées, choisissent les hommes qui se sont portés candidats. Pendant des heures, les musiciens frappent sur leurs tambours et provoquent des danses lentes et chaloupées. Lors de la cérémonie finale, les nouveaux mariés, qui sont passés devant le « doul » (le notaire), dansent « l'ahaidous » et chantent des ritournelles d'amour.

Le grand Sud marocain ouvre sur le Sahara, les racines afri-caines du Maroc. Royaume des oasis et des mille et une kas-bahs, cette glorieuse région, fief de la plupart des dynasties, déploie des paysages opposés. Les palmeraies, les rives vertes et fécondes des oueds, les cultures de roses, semblent en effet concentrer la vie au sein d'un océan de rocailles, de steppes et de sable balayé par un vent chaud.

Le Tafilalet est l'oasis de fraîcheur par excellence. Entre Er Rachidia, la capitale de cette région qui est le berceau de la dynas-tie alaouite, et Erfoud, la vallée du Ziz creuse un lit où s'épa-nouissent des centaines de milliers de palmiers dattiers. Ce fleuve de verdure absolument merveilleux est d'ailleurs appelé « la Mésopotamie du Maghreb ». Le Tafilalet, occupant une position stratégique dans les liaisons entre l'Afrique noire et l'Afrique du Nord, a tenu un rôle déterminant dans l'histoire du développe-ment économique du Maroc. Point de passage obligé des cara-vanes venues du Sahara, le Tafilalet attirait les marchands, issus des grandes métropoles commerciales comme Fes, Tlemcen ou

La kasbah de Aït Benhaddou, près de Ouarzazate, est classée sur la liste du patrimoine mondial de l'humanité par l'UNESCO.

encore Le Caire, qui venaient vendre leurs produits à destination des grandes villes d'Afrique noire. Sijilmassa, dont il ne reste aujourd'hui que quelques vestiges, fut au Moyen-Âge la glorieuse capitale du Tafilalet et le point de convergence de cet important trafic caravanier. Après Erfoud, en plongeant sur Merzouga, les premières dunes d'un sable qui engloutit l'horizon rappellent l'incroyable gageure que représentaient ces traversées du désert. Aux portes de ce désert toujours renouvelé, incompréhensible à celui qui ne s'y abandonne pas corps et âme, on perçoit vraiment la vaillante africanité du Sud marocain.

Vers l'Ouest, en longeant le djebel Sahro, Tinerhir se présente comme une petite ville prospère environnée d'une des plus belles palmeraies du Sud. Ville de passage entre le Haut Atlas et le djebel Sahro, Tinerhir commande à la fois l'accès aux gorges du Todra, ce défilé très étroit bordé par deux falaises de 300 m de hauteur, et l'entrée sur la fameuse route des kasbahs. Entre l'aridité des contreforts rocailleux de l'Atlas et la fertilité de sa palmeraie, Tinerhir se fond dans le paysage en dressant vers un ciel

*La kasbah de Tiffoultout près
de Ouarzazate marque l'entrée
dans la vallée du Drâa.
Vallée du Ziz.
Entrée de la kasbah de Aït Benhaddou.
Pages suivantes :
Le barrage d'El Mansour Eddahbi
donne lieu à un très grand lac près
de Ouarzazate.*

*L*a kasbah de Taourirt,
proche de Ouarzazate, une des
attractions incontournables.

clément ses blocs de maisons roses et couleur de terre. En prenant la direction de Ouarzazate, sur la route des « mille kasbahs » de la vallée du Dadès, les gorges du Dadès apparaissent comme une puissante curiosité de la nature. Au sein d'un formidable plissement rocheux sculpté par l'érosion, aux couleurs virant du rouge au mauve, des ksour fabriqués à partir de cette terre bariolée émaillent le paysage en offrant les mêmes teintes. Après Boulmane-du-Dadès qui ouvre sur ce monde prodigieux, la route arrive au niveau d'El Kelaa M'Gouna réputée pour ses distilleries de roses. En effet, à la splendeur des kasbahs et la beauté du paysage, tantôt tabulaire, tantôt vallonné, des rosiers par milliers viennent égayer de leurs couleurs une succession de champs et de vergers. Le parfum capiteux des roses accentue le sentiment de liberté, d'épanouissement. Un sentiment qui ne fait que croître à mesure que la route rapide file sur Ouarzazate. Dans un écrin de verdure, les kasbahs se succèdent : Dar Aït Souss, Dar Aïchil, el Kabbaba, et la très belle Amerhidil que l'on découvre en pénétrant dans la vaste palmeraie de Skoura. Fondée au XIIe siècle par

Yacoub el Mansour, cette luxuriante oasis aux multiples rosiers, amandiers, pommiers, et cerisiers, représente la frontière de la vallée du Dadès dominée par le massif du Mgoun. Une quarantaine de kilomètres plus loin, après avoir traversé un territoire plus sec et longé le lac de retenue du barrage Al Mansour Ed Dahbi, le voyageur atteint un carrefour important : Ouarzazate. Aux portes du grand Sud marocain, à la croisée des chemins conduisant à Agadir, Marrakech, et dans les vallées du Dadès et du Drâa, Ouarzazate, construite en 1928 pour être une ville de garnison stratégique, est devenue un grand centre économique régional. Un grand nombre de magasins aux façades peintes en rose, des souks à l'allure de marché à ciel ouvert, des petits ateliers pour l'artisanat, montrent que la ville est un centre local de négoce, un point de convergence pour une population des environs à vocation agricole. L'eau de rose et le musc, la cannelle et le henné, le cumin, le gingembre et le paprika, sont aussi bien mis en valeur que les tapis « ouzguita » aux motifs géométriques et symboliques bleus ou dorés, les bijoux d'argent, ou les étoffes

Oasis de Fint.

Village de Adaï, près de Tafraoute.

•Tafraoute•

Lovée dans une vallée à 1200 m d'altitude dans les montagnes de l'Anti Atlas, Tafraoute est une superbe petite ville entourée de collines de granit rose. De gros blocs de granit érodé à l'aspect lunaire, qui évoquent soit un séisme figé soit des météorites, s'accumulent sur les pentes et touchent par endroit les constructions peintes en rose et en rouge. Les palmiers et les amandiers renforcent la beauté des paysages. Au début du printemps, lorsque les amandiers se couvrent de fleurs blanches et roses, la petite vallée devient merveilleuse.

Les jeux de lumière sur la roche et sur les arbres font vibrer leurs teintes en de resplendissantes nuances de rouge, ocre et mauve. Le rêve de tout Berbère chleuh est d'ailleurs de faire fortune dans le Nord, en faisant fructifier une épicerie ou un commerce dans une grande ville, et de revenir acheter un terrain pour y faire bâtir une maison.

Les pitons rocheux et les villages accrochés de la région de Tafraoute.

colorées. Ville touristique à l'infrastructure hôtelière bien étudiée, Ouarzazate est aussi la ville marocaine autour de laquelle ont été réalisés le plus de films : « Lawrence d'Arabie », « Un thé au Sahara », « La dernière tentation du Christ » sont sans doute les réalisations, nécessitant un paysage sec, cisaillé et colorée, qui sont les plus connues. Cet environnement est également très apprécié par les Casablancais qui n'hésitent pas, lorsqu'ils en ont les moyens et les possibilités, à venir se dépayser et se ressourcer. Une des attractions incontournables est la kasbah Taourirt, citadelle construite par le Glaoui, le dernier pacha redouté de Marrakech. Ses hauts murs de pisé couleur ocre et finement ciselé, aux tours crénelées et aux façades trouées de petites fenêtres, semblent s'imbriquer et se soulever sur des plans superposés. A l'intérieur, les demeures conservent leur superbes plafonds en bois de cèdre sculpté. Ici ou là, au fait d'un bâtiment désormais inoccupé, un nid de cigognes se détache et donne un peu de vie au tableau. À une vingtaine de kilomètres de Ouarzazate vers Marrakech, le village fortifié de Aït Benhaddou est sans doute

Région de Tafraoute.

l'un des ksour les plus célèbres du Maroc : inscrit au patrimoine mondial de l'humanité par l'UNESCO, il concentre, depuis la montagne sur laquelle il est adossé, les regards admiratifs d'un nombre croissant de voyageurs. Les grandes demeures à étages se fondent si bien dans la montagne qu'elles donnent l'impression d'être sorties de la terre. Quelques palmiers et amandiers semblent avoir été plantés pour accompagner cette majestueuse orchestration minérale.

Depuis Ouarzazate jusqu'à Mhamid à la frontière algérienne, l'oued Drâa donne vie sur 200 kilomètres à un ruban d'oasis qui, tout en verdure et en terre battue, tapisse et colore la vallée du Drâa. Défiant le désert, ce fleuve dispense ses bienfaits dans la vallée, se perd dans le grand ocre des dunes de sable, avant de rejoindre enfin l'océan après une traversée de plus de mille kilomètres. Charles de Foucault note en 1884, dans sa *Reconnaissance au Maroc* : « Sur les rives de l'oued Drâa, le fond de la vallée est un jardin enchanteur : figuiers, grenadiers s'y pressent; ils confondent leurs feuillages et répandent sur leur sol une ombre épaisse;

*En février, les amandiers proposent une palettes de fleurs roses et blanches.
Une mosquée au minaret caractéristique de l'architecture de Tafraoute, carré et rouge.*

au-dessus se balancent les hauts panaches des dattiers. (…) Partout apparaissent les indices d'une population riche : à côté des céréales, des légumes poussant sous les palmiers et les arbres à fruits, se voient des tonnelles garnies de vigne, des pavillons en pisé, lieux de repos où l'on passe, dans l'ombre et la fraîcheur, les heures chaudes du jour. (…) Une foule innombrable de ksour s'échelonnent sur les premières pentes des deux flancs : peu sont dans la vallée, autant par économie d'un sol précieux que par crainte des inondations. Ils ont tous ce caractère d'élégance qui est particulier aux constructions du Drâa ; point de murs qui ne soient couverts de moulures, de dessins, et percés de créneaux blanchis ; (…) Les maisons les plus pauvres même sont garnies de clochetons, d'arcades, de ballustrades à jours ».

Tout au long de la route jusqu'à Zagora, gros village aux portes du désert saharien, des palmiers dattiers ployant sous des grappes de dattes jaunes, des champs cultivés riches de lauriers roses, d'acacias, d'orangers, de citronniers, d'amandiers, de légumes et de céréales, semblent murmurer une délicieuse ode à la vie.

Le pavillon de la Ménara,
au cœur des jardins d'oliviers,
semble se tourner vers l'Atlas
enneigé.
Page de droite :
Remparts de la ville de Marrakech.
Pages précédentes :
Remparts de Tiznit, au sud
d'Agadir.

Capitale du Sud marocain, Marrakech est un joyau qui repose dans un écrin. Allongée sur la plaine du Haouz, entourée de palmeraies verdoyantes, Marrakech est une perle rouge au dessus de laquelle se dressent les cimes enneigées du majestueux Atlas. Dès l'abord, en arrivant du Nord, la magie des lieux opère. En approchant de l'illustre cité, alors que le paysage est plat, étendu et sec, les montagnes du Haut Atlas se dévoilent dans toute leur grandeur : immenses, massives, abruptes, elles paraissent inaccessibles. Puis, comme pour saluer le voyageur et lui signifier une promesse de bonheur, des palmeraies étalent leurs bouquets de feuilles vertes. Après la traversée de l'oued Tensift, première porte de Marrakech, la ville apparaît comme drapée d'un rouge orangé. Éblouissante couleur ocre qui fait sentir d'instinct la présence d'un désert peu lointain. Cette impression d'accoster dans une oasis aux portes d'un monde différent de celui du Nord du Maroc, plus sec, au climat plus rigoureux, est renforcée par la chaleur de l'atmosphère. Marrakech est une ville chaude, énergique, agitée.

Constituant le principal trait d'union entre l'ancienne ville, avec sa

grande médina, sa fameuse place Jemma el Fna, sa kasbah et ses palais, et la nouvelle ville, représentée par le quartier du Guéliz, la longue avenue Mohamed V vibre du matin au soir. Elle donne un bon avant goût de la mystérieuse énergie qui se dégage de Marrakech. D'abord, en tant que lieu de passage, cette avenue draine une foule de voitures, de mobylettes, de vélos et de calèches si typiques, qui se croisent et se faufilent. Ensuite, en tant que lieu de rencontres, elle est le rendez-vous d'une jeunesse fortement tournée vers les modèles occidentaux. Les jeunes femmes et les jeunes hommes qui se retrouvent entre la place du 16 novembre et la place Abd el Moumin Benali, discutent librement, se charment mutuellement, s'octroyant des licences avec les mœurs musulmanes qui défend à la femme digne ce genre d'exhibition. Ces jeunes aventurières en promenade, vêtues à la mode occidentale, donnent l'occasion d'apprécier la beauté sensuelle, étourdissante, des femmes de Marrakech. « La gazelle », comme elle est surnommée depuis bien longtemps, a un visage ovale, oblong, qui laisse percer un regard en amande. Souligné par un sourcil épais sans être massif, l'œil est rond, gros et noir. Les regards de ces yeux

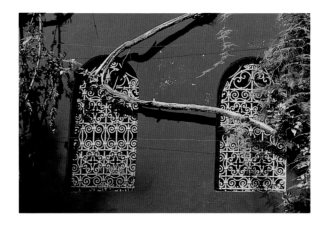

Le bleu cobalt du jardin de Majorelle tranche avec la verdure luxuriante qui entoure la demeure.

*Les épices, que l'on trouve en abondance,
donnent de la saveur et relèvent le goût de nombreux plats.*

 **• Le tajine de viande aux pruneaux •**

Pour quatre personnes, il faut réunir pour cette recette subtilement salée-sucrée : 1kg de viande de mouton, une poignée de pruneaux, deux oignons, deux noix de beurre, du safran, de la cannelle, trois cuillerées à soupe de miel, des amandes, deux cuillerées à soupe d'huile, du sel et du poivre.

Il faut ensuite mettre la viande dans une cocotte et la faire revenir avec les oignons, le beurre, le safran, le sel, le poivre et ajouter un verre d'eau. Après que le tout ait mijoté à feu doux pendant près d'une heure, il convient de retirer la viande et de la remplacer par les pruneaux, la cannelle et le miel. Passé un quart d'heure, il faut remettre la viande et la mélanger à la sauce et aux garnitures. Il ne reste plus ensuite qu'à servir ce délicieux ragoût parfumé et coloré dans un plat à tajine où la viande prend place avant la sauce et les pruneaux.

pénétrants et fiers sont comme des éclairs : furtifs, brefs et intenses. Le nez fin, parfois busqué, est signe de caractère sur une face à la peau cuivrée. Les pommettes, souples et saillantes, libèrent naturellement un large sourire qui découvre une couronne blanche et saine. Les lèvres, bien dessinées et pulpeuses, sont couleur de velours. Une chevelure de jais, volumineuse et ondoyante, vient contourner le visage, comme une vague, en fin de course, entoure le rocher posé sur le sable.

Ce sentiment d'une énergie orientale, sensuelle, capiteuse, est renforcé quand on remonte l'avenue Mohamed V pour atteindre la place Djemaa el Fna. Tout converge vers cette place qui est le centre humain de Marrakech, son cœur palpitant. Ouverte sur un ciel bienveillant, Djemaa el Fna offre de multiples visages selon les différents moments de la journée. A l'heure du coucher de soleil, après 17 h, elle est particulièrement émouvante. Depuis une des terrasses du troisième étage d'un des hôtels restaurants, qui font aussi café, on peut assister à ce spectacle qui embrase le ciel et la ville de mille feux. Au moment où le soleil commence à décliner, la place s'emplit peu à peu jusqu'à

Les teinturiers se transmettent leur art de la couleur depuis un nombre inquantifiable de générations.

*M*arrakech est la ville des roses.
L'accueil hospitalier, généreux
de la plupart des artisans du souk,
est en concordance avec cette
aspiration à bien être au monde,
avec ce désir d'harmonie contenu
dans la beauté des produits de
l'artisanat.

devenir grouillante. Des groupes d'individus se réunissent en cercle autour de musiciens, de danseurs et de marchands. Ces cercles, qui regroupent entre cinquante et cent personnes, semblent étonnamment statiques et attentionnés par rapport au mouvement créé par le flux d'individus qui circulent. Piétons, vélos, mobylettes, charrettes et petits taxis, allant ou débouchant de la médina dont Djemaa el Fna est l'excroissance, impriment à la vie de la place une cadence soutenue. Des bruits de trompettes, de tambourins, des cloches de porteurs d'eau, de piaillements d'oiseaux, de transistors, de klaxons, de frappements de mains, font de l'espace sonore un tintamarre berçant et envoûtant. L'orée des souks de la médina borde la place, et les nombreux vendeurs de jus d'orange forment une frontière entre deux parties distinctes de celle-ci. Vers 17h15, le soleil forme autour de lui un halo jaune orangé très brillant, et une lumière rasante commence à faire de la ville aux toits plats une masse qui disparaît dans l'obscurité. Signal de la nuit qui s'annonce, les premières lampes électriques ou à pétrole font leur apparition. Le bleu du ciel est doucement mangé par des brumes roses et jaunes. Le soleil apparaît comme

Djemma El Fna est une place qui se métamorphose sans cesse, et qui offre un tourbillon de sensations envoûtantes.

Les souks constituent un ensemble de boutiques sans vitrine, ouvert au visiteur comme au vent.

une énorme boule de feu qui plonge à vue d'œil. Quelques nuages évanescents dessinent dans le ciel des arabesques soyeuses, permettant d'apprécier, de façon accentuée, la déclinaison des teintes, l'intensité des tons. La clarté lumineuse des tons chauds brille encore quelques instants avant d'être atténuée, puis englobée par l'obscurité qui par un double mouvement, monte de la terre avec une couleur de tempête de sable, et descend du ciel avec toute sa noirceur nocturne. Les étoiles reprennent alors leur rôle de vigilantes vigies.

A la nuit tombée, dans la partie ouest de Djemaa el Fna, celle où le quartier principal de la Police Judiciaire garde un œil sévère sur le comportement des faux guides – jeunes hommes sans travail qui proposent de faire visiter la médina moyennant finance –, plusieurs couloirs de gargotiers s'installent. Ils proposent des plats variés à qui veut se restaurer : du couscous, des viandes grillées, des salades de légumes, du « harira », des légumes et du poisson frits… Ces restaurateurs mobiles animent l'heure du dîner par leur présence séduisante, pendant que tout autour, des groupes vaquent à leurs occupations. Par exemple, des musiciens traditionnels, ceux dont la voix

Les tajines rappellent l'importance d'une cuisine subtile.

chantée s'associe étroitement aux gestes de danse, évoquent différents thèmes proches de la culture berbère qui sont bien compris et appréciés par les Marrakchi de la médina, pour la plupart Berbères. A côté, des saltimbanques perpétuent l'esprit des « gnaoua », les troubadours publics experts en possession rituelle, membres d'une confrérie religieuse issue d'anciens esclaves noirs soudanais. Des diseuses de bonne aventure, des commerçants en remèdes de la vallée de l'Orika ou du désert saharien, des charmeurs de serpents, des marchands d'eau, accentuent l'aspect communautaire de cette cour des miracles. Djemaa el Fna est la place qui rassemble, celle qui permet d'être un avec tous. Lieu d'échanges et de possibles, elle est comme la salle de réunion de cette grande famille que compose la médina.

Au matin, alors qu'il fait déjà chaud, la place change de visage et se transforme en marché. Elle prépare, comme par glissement, à la vie animée des souks. Vastes, denses, organisés avec soin et précision, les souks de Marrakech méritent leur réputation et leur parfum de légendes. Pénétrer dans le souk revient à faire, à la manière d'un rite

de passage, une traversée inouïe. Formant une masse compacte et ordonnée, des successions d'échoppes, aux bords de ruelles longues et sinueuses, se regroupent par corps de métiers et par spécialités. Les artisans du textile présentent des djellabas colorées, des voiles et des tissus drapés, des cafetans et des robes bariolés ou en camaïeu. La lumière si particulière, douce et tamisée, qui passe à travers des plafonds faits de treillages en bois et roseaux, éclaire à chaque instant des scènes riches de sensations nouvelles. Les artisans du bois proposent de superbes objets sculptés dans du cèdre, des racines de tuilas, dans du noyer et de l'olivier. Dans leurs boutiques sans vitrine, ils font la démonstration de leur habileté et de leur ingéniosité en taillant, sculptant et ciselant à la une de tous. Plus loin, le souk des maroquiniers et celui des babouchiers sont l'occasion de regarder poufs et coussins orientaux, sacs et babouches aux vives couleurs, selles et harnachements traditionnels. Une odeur de cuir semble s'être emparée depuis toujours de ces quartiers. Ailleurs, les orfèvres et les travailleurs du métal perpétuent un artisanat millénaire, à la fois fluide et rythmé dans la fantaisie des formes arabesques, rigoureux

La qualité de l'artisanat correspond à un art de vivre raffiné.

et structuré dans la composition des motifs. Le souk aux tapis renforce ce sentiment qui émane de l'artisanat marocain : étalés sur des devantures, sur des murs ou bien allongés au sol, ces tapis de divers horizons font rayonner à travers des motifs qui ne laissent rien au hasard une polychromie aux tons chauds et aux teintes vives. L'artisanat marocain, fleuron de l'art islamique, semble chercher l'équilibre dans la composition pour mieux devenir un reflet paisible du spirituel dans le temporel. Dans ces codes esthétiques, dans ce patrimoine de sagesse, c'est tout un art de vivre qui s'exprime. Ainsi, l'accueil hospitalier, généreux de la plupart des artisans du souk, qui sont des commerçants hors pair, est en concordance avec cette aspiration à être heureux, avec ce désir d'harmonie contenus dans la beauté des produits de l'artisanat.

La mosquée de la Koutoubia, qui règne encore sur la ville du haut de ses soixante dix mètres, est certainement le chef d'œuvre le plus représentatif de la grande piété et du raffinement extrême de ces sultans almohades. Visible depuis de nombreux endroits de Marrakech, c'est la mosquée phare de la ville, celle qui est la plus regardée par les

Djemaa El Fna est la place centrale de Marrakech qui rassemble, le jour comme la nuit, des centaines de Marocains.

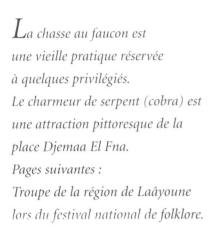

*La chasse au faucon est
une vieille pratique réservée
à quelques privilégiés.
Le charmeur de serpent (cobra) est
une attraction pittoresque de la
place Djemaa El Fna.
Pages suivantes :
Troupe de la région de Laâyoune
lors du festival national de folklore.*

habitants de la médina comme ceux de la ville nouvelle. Premier exemple d'art hispano-mauresque, la Koutoubia, appelée « mosquée des libraires » en raison des anciens souks aux manuscrits qui étaient devant ses murs, évoque l'élévation et la majesté. Élancé, harmonieux, le minaret est couvert d'entrelacs en relief et d'ornements peints. Les arabesques rythmées, les entrelacs losangés, les mosaïques de faïences qui réfléchissent la lumière, permettent de faire danser le regard de façon mystérieuse. Forte de ses nombreuses colonnes distribuées dans l'espace, de ses larges coupoles et ses arcs tréflés d'inspiration andalouse, la Koutoubia est majestueusement robuste.

Au nord de la grande mosquée, les quartiers de la Kasbah se déploient autour des tombeaux saadiens, du Palais el Badi, et du Dar el Makhzen, le vaste palais royal. Les tombeaux ont été, à partir de 1557, les nécropoles des sultans saadiens. Ils rappellent l'influence de cette dynastie chérifienne qui régna pendant deux siècles, à une époque bénéfique et prospère pour Marrakech. Preuve en ruine mais vivante de ces périodes fastes, le Palais el Badi fait imaginer une construction sublime.

Le henné, qui est un arbuste dont les feuilles séchées donnent par décoction une teinture rouge, est appliqué sur les mains et sur les pieds de la femme à l'occasion d'un mariage ou d'un moussem. Trés répandue, cette peinture éloigne le mauvais œil.
Pages suivantes : Une troupe de la région d'Imintanoute lors du festival national du folklore.

• le festival de Marrakech •

Tous les ans pendant quinze jours au début du mois de juin, un festival national du folklore se tient dans les ruines du grand palais El Badi de Marrakech. Plusieurs centaines de participants viennent de toutes les régions du Maroc se produire et se donner en spectacle. Des chants et des danses, tels que les transes des gnaouas, les danses collectives de l'ahouach et de l'ahaidous, les ballets du Sahara ou les danses guerrières du Rif et du Haut Atlas, donnent un éventail exhaustif de la culture folklorique marocaine.

Ce festival qui donne l'occasion de découvrir la grande richesse de ce folklore est très apprécié par les Marocains qui y prennent part avec ferveur. A 17 heures tous les jours, la fantasia est le moment des chevauchées furieuses qui exprime, de façon fière et farouche, l'importance de ces rituels profondément enracinés dans la vie marocaine.

*La fantasia est le moment fort
des moussems. De façon rituelle,
des cavaliers en costume traditionnel,
qui représentent chacun leur tribu,
galopent ensemble et tirent en l'air des
coups de feux avec leur « mokalha »,
le long fusil damasquiné utilisé depuis
le XVIIe siècle.
Cavalier en grande tenue à l'occasion
d'un moussem.*

En 1578, le grand sultan Saadien Moulay Ahmed el Mansour, qui venait de remporter une importante bataille sur les Portugais, décida de se faire construire un merveilleux palais de réception. Ce monument, dont il ne reste plus que les vestiges après que le sultan alaouïte Moulay Ismaïl ait ordonné de le démonter, devait être une composition resplendissante de marbre blanc, de mosaïques colorées, de stuc, de bois précieux et d'or. La beauté mythique de ce lieu contraste avec l'exhubérance végétale et la fraîcheur des jardins de la ville nouvelle. L'ombre des jardins de la Ménara, de Majorelle, de l'Agdal sont autant d'oasis de paix idéales pour se reposer et se soustraire aux feux du soleil.

LE MAROC EN BREF

Estimée à 4 millions d'habitants au début du siècle, la population du Maroc a connu un développement rapide pour passer de 5 892 000 habitants lors du recensement marocain en 1936, à 15 400 000 lors du recensement de 1971 et à près de 27 000 000 lors du recensement de septembre 1994. Cette croissance a entraîné un rajeunissement considérable de la population, la moitié étant âgée de moins de 15 ans. Sur le plan de la répartition géographique, on constate une urbanisation accélérée. De 9 % au début du siècle, la population urbaine est passée à 33 % en 1971 et 52 % en 1994.

Le Maroc a 710 850 km² de superficie, 2 900 kilomètres de côtes atlantiques, 500 kilomètres de côtes méditerranéennes et 60 000 kilomètres de réseau routier. Parmi les chiffres représentatifs : 3 millions de palmiers dattiers, 800 000 tonnes d'oranges par an, et plus de 3 000 000 de touristes chaque année.

Selon Hassan II, représentant suprême de la nation, garant de l'unité du pays et de la liberté des citoyens : « La détermination constante du Royaume du Maroc à promouvoir un système économique qui privilégie l'initiative privée et l'émulation que crée une concurrence raisonnable, ont permis de demeurer dans le sentier d'une croissance durable, de remédier aux déséquilibres structurels et d'attirer l'investissement étranger… Notre but ne pourra être pleinement atteint que par un apport massif du secteur privé dont l'intervention, sous forme notamment d'investissements financiers et de savoir-faire, constitue l'une des bases d'un essor souhaité ».

Depuis 1984, le Maroc assure un taux de croissance annuel moyen du PIB de 4%. En 1994, la ventilation du PIB, en prix constants (en millions de dirhams) par branche a été la suivante :

• agriculture : 24 095, soit 19,7%

• énergie et mines : 7 810, soit 6,4%

• industries manufacturières : 20 735, soit 16,9%

• bâtiments et travaux publics : 4 709, soit 3,8%

• commerce : 24 120, soit 19,7%

• transports et communications : 7 197, soit 5,9%

• services et administration : 33 676, soit 27,6%.

Ainsi, avec Agadir et Safi, le Maroc possède les premiers ports sardiniers du monde, et il est aussi le premier producteur mondial de phosphate, appelé l'or blanc.

L'ARGENT

La monnaie marocaine est le dirham (DH) divisé en 100 centimes. Il existe des pièces de 5, 10, 20, 50 centimes, de 1 et 5 DH, ainsi que des billets de 10, 50, 100 et 200 DH. Il n'est possible de se procurer des dirhams qu'au Maroc, et la monnaie marocaine ne doit pas sortir du territoire. Il n'y a pas de limitation d'importation de devises étrangères, à condition que leur montant soit déclaré à partir de 5 000 dirhams. L'argent peut être retiré dans les banques avec une carte de crédit et un chéquier, ou directement au distributeur dans les grandes villes. Les cartes de crédit sont acceptées par les grands hôtels, tout comme les travellers chèques, ainsi que dans la plupart des boutiques et des restaurants.

LA LANGUE

L'arabe est la langue officielle. A côté
de l'arabe classique, la langue de l'édu-
cation, de l'administration et des médias,
la langue quotidienne est l'arabe dialectal,
ainsi que le tamazight parlé par les Berbères
du Rif, de l'Atlas et du Sous, et le tachelhit parlé
par les Berbères chleuh du Haut Atlas central et
occidental. Une grande partie de la population parle le
français considéré comme la première langue étrangère.
D'autres langues sont enseignées dans les écoles, notamment l'anglais, l'espagnol et l'allemand.

LA CUISINE

La cuisine marocaine est une des plus raffinée au monde. Les légumes,
les fruits, les poissons, les viandes, et les épices sont variés et savoureux.
Le tajine, le plat national marocain qui désigne à la fois le contenant
– le plat de terre cuite recouvert d'un couvercle conique – et le contenu,
est une sorte un ragoût qui peut se faire avec de la viande, de la volaille
ou du poisson. Ce ragoût est agrémenté de légumes cuits à l'étouffée,
d'olives, d'amandes, de pruneaux ou de citrons confits.
Traditionnellement, le Marocain s'assoit sur un matelas autour d'une
table ronde et basse, se lave les mains au dessus d'une bassine en
cuivre, et mange avec les doigts de la main droite. Le couscous, la
spécialité culinaire du Maghreb préparée avec de la semoule de blé
dur, servie avec de la viande, des légumes et des sauces très relevées,
est le plat du déjeuner familial du vendredi. Le méchoui,
l'agneau entier cuit à la broche ou au four, est le régal
des fêtes. Les brochettes de bœuf ou de poulet mari-
nés peuvent être, à l'inverse, consommées à tout
moment un peu partout. La harira est une
soupe délicieuse, consistante et parfumée.

La pastilla, pâte feuilletée légère et croquante, farcie de pigeon et d'amandes, est un plat de cérémonie qui illustre bien dans l'art culinaire marocain le mariage entre le salé et le sucré.

La kesra est le pain complet de tous les repas. Ceux-ci se terminent bien souvent par de succulentes pâtisseries à base d'amandes pilées, de miel et d'huile d'arganier. Les cornes de gazelles, les feqqas aux amandes, aux raisins secs, accompagnent délicieusement un thé à la menthe qui se boit brûlant et très sucré.

LES FÊTES

Les jours fériés officiels, correspondant aux fêtes nationales sont :

• Le jour de l'an.

• Le 11 janvier, anniversaire de l'indépendance.

• Le 3 mars, la fête du trône qui commémore l'accession au trône du roi Hassan II en 1961.

• Le 1er mai, fête du travail.

• Le 9 juillet, fête de la jeunesse.

• Le 20 août, commémoration de la révolution du roi et du peuple.

• Le 6 novembre, anniversaire de la marche verte.

• Le 18 novembre, fête de l'indépendance, qui correspond au retour d'exil de Mohamed V le père d'Hassan II.

Les fêtes locales, qui ont toujours un caractère agricole, alimentent le folklore marocain. Parmi ces nombreuses fêtes et festivals, on peut retenir : la fête des amandiers en fleurs, à Tafraoute en février; la fête des roses, à El Kelaâ M'Gouna en mai; la fête des cires, à Salé en mai; le festival national du folklore, à Marrakech en juin; la fête des cerises, à Séfrou en juin; la symphonie du désert, à Ouarzazate en juin; la fête du chameau, à Guelmin en juillet; le festival culturel d'Asilah en août; la fête des fiançailles, à Imilchil en septembre; la fête du cheval, à Tissa en septembre; la fête des dattes, à Erfoud en octobre; la fête des olives, à Rafsaï en décembre.

Les fêtes religieuses sont des jours fériés qui varient en fonction du calendrier musulman. Le 1er Moharem (1996 : 19 mai, 1997 : 9 mai) est le nouvel an. Le Mouloud (1996 : 29 juillet, 1997 : 19 juillet) célèbre la naissance du Prophète. L'Aïd es Seghir (1996 : 23 février, 1997 : 11 février) fête la fin du Ramadan. L'Aïd es Kebir (1996 : 30 avril, 1997 : 19 avril) commémore le sacrifice d'Abraham qui, dirigé par Dieu, immola un mouton en lieu et place de son fils Ismaël. Dans toutes les familles musulmanes qui en ont les moyens, un mouton est sacrifié pour honorer la mémoire de cet acte fondateur.

SPORTS ET LOISIRS

Le Maroc est une destination attrayante pour pratiquer de nombreux sports, et la grande diversité des activités sportives séduit de plus en plus de touristes.

Le surf, le ski nautique et la planche à voile se pratiquent sur de nombreuses plages de la façade atlantique. Rabat, Casablanca, Safi, Essaouira, Agadir et Tiznit proposent des sites intéressants mais parfois risqués tant les vagues et les courants sont forts par endroit. Sur la côte méditerranéenne, c'est surtout la pêche sous-marine qui est exercée.

Les sports de montagne peuvent être une raison à part entière de se rendre au Maroc. En effet, le ski que l'on pratique avec bonheur sur les pentes du massif Toubkal, et les randonnées pédestres aux nombreux itinéraires exaltants, sont des activités dynamisantes et enrichissantes. Pour les plus téméraires, l'alpinisme accentue les sensations fortes.

La pratique du golf, qui est le sport favori du roi Hassan II, est favorisée par quelques beaux greens. Trente golfs seront

accessibles d'ici l'an 2000.
Ceux de Rabat-Dar Es salam,
Marrakech, Mohamedia,
Casablanca et Meknès
sont déjà renommés et
donnent l'occasion au
voyageur de se détendre
dans un cadre somptueux.

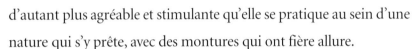

L'équitation est une activité
d'autant plus agréable et stimulante qu'elle se pratique au sein d'une
nature qui s'y prête, avec des montures qui ont fière allure.

Pour tous renseignements, vous pouvez contacter :

Fédération Royale Marocaine de surf. Tél. (2) 25 95 30

Fédération Royale Marocaine de ski et de montagne. Tél. (2) 20 37 98

Fédération Royale Marocaine de golf. Tél. (7) 75 59 60

Fédération Royale Marocaine de sports équestres. Tél. (7) 75 44 24

LE VOYAGE

Pour se rendre au Maroc, peu de formalités sont obligatoires. Il faut
simplement être muni d'un passeport en cours de validité. Le visa
n'est pas nécessaire pour les ressortissants français.

Aucun certificat de vaccination n'est exigé pour les membres de
l'Union Européenne. Le traitement antipaludéen n'est pas nécessaire.

Adresses utiles :

• Office national marocain du tourisme, 161 rue Saint Honoré,
  75001 Paris. Tél. 01 42 60 47 24

• Royal Air Maroc,
  38 avenue de l'Opéra, 75002 Paris. Tél. 01 44 94 13 30
  10 boulevard Dugommier, 13001 Marseille. Tél. 04 91 95 91 26

• Ambassade du Maroc, 5 rue Le Tasse, 75116 Paris.
  Tél. 01 45 20 69 35

• Ambassade de France au Maroc, 3 rue Sahnoun, Rabat.
  Tél. (7) 77 78 22

Quelques hôtels

• Marrakech
Mamounia ★★★★ 235 chambres
Avenue Bab Jdid, Tél. (04) 44 89 81. Fax. (04) 44 46 60
La palmeraie ★★★★★ 394 chambres
Circuit de la palmeraie, Tél. (04) 30 10 10. Fax. (04) 30 20 20
Nassim ★★★★ 52 chambres
115 avenue Mohamed V, Guéliz. Tél. (04) 44 64 01.
Fax. (04) 43 67 10
Club Méditerranée
Place Djemaa El Fna, TéL. (04) 44 40 16. Fax. (04) 44 46 47

• Casablanca
Royal El Mansour ★★★★ 182 chambres
27 avenue des F.A.R. Tél. (02) 31 30 11. Fax. (02) 31 48 18
La corniche ★★★★ 53 chambres
Boulevard de la corniche. Tél. (02) 36 30 11. Fax : (02) 39 11 10
Hôtel de Paris ★★★ 36 chambres
2 rue Chérif Amiziane
Prince Moulay Abdella. Tél. (02) 27 42 75. Fax. (02) 29 80 69

• Rabat
Hyat Regency ★★★★★ 220 chambres
Suissi Rabat. Tél. (07) 67 12 34. Fax. (07) 67 14 92
Sheherazade ★★★ 80 chambres
21 rue de Tunis. Tél. (07) 72 22 26

• Meknès
Transatlantique ★★★★ 121 chambres
Rue El Meriniyine. Tél. (05) 52 50 50. Fax. (05) 52 00 57
Bab Mansour ★★★ 65 chambres
38 rue Emir Abdelkader. Tél : (05) 52 52 39. Fax : (05) 51 07 41
Volubilis ★★ 36 chambres
45 avenue des F.A.R. Tél : (05) 52 01 02

• Ouarzazate
Berbère Palace ★★★★★ 218 chambres
Mansour Eddahbi. Tél. (04) 88 31 05. Fax. (04) 88 36 15
Riad Salam ★★★ 76 chambres
Boulevard Mohamed V. Tél (04) 88 33 35. Fax. (04) 88 27 60

• Fes
Jnan Palace ★★★★★ 249 chambres
Avenue Ahmed Chaouki. Tél. (05) 65 22 30. Fax. (05) 65 19 17
Sheraton ★★★★ 271 chambres
Avenue des F.A.R. Tél. (05) 93 09 09. Fax. (05) 93 10 83

Moussafir ★★★ 83 chambres
Avenue des Almohades. Tél. (05) 65 19 02. Fax. (05) 65 48 92

• ESSAOUIRA
Hôtel des îles ★★★★ 75 chambres
Boulevard Mohamed V. Tél. (04) 47 23 29. Fax. (04) 47 23 29
Hôtel villa Maroc ★★★ 17 chambres
10 rue Abdellah Ben Yacine. Tél. (04) 47 31 47. Fax. (04) 47 28 06

• AGADIR
Al Madina Palace Salam ★★★★ 206 chambres
Boulevard du 20 août. Tél. (08) 84 53 53. Fax. (08) 84 53 08
Les Almohades ★★★★ 320 chambres
Boulevard du 20 août. Tél. (08) 84 02 33. Fax. (08) 84 00 96
Ali Baba ★★★ 105 chambres
Boulevard Mohamed V. Tél. (08) 84 33 26. Fax. (08) 84 12 47

LA LUMIÈRE DU MAROC

Si le Maroc est le royaume incontesté de la lumière , encore faut-il savoir la restituer sur vos photographies.

Xavier RICHER vous conseille d'éviter de photographier entre 11 et 16 heures, la lumière y est trop forte et efface les reliefs.

Les plus belles images, vous les ferez tôt le matin et durant les deux heures qui précèdent le coucher du soleil. Pour restituer les couleurs les plus violentes et aussi celles en demi-teinte il utilise la pellicule Fuji Velvia pour sa finesse et son très bon rendu.

Une bonne analyse de la lumière est nécessaire; avec ses boitiers Canon EOS-1N RS équipés de ses trois objectifs fétiches (les zooms 28-70/2,8 et 70-200/2,8, ainsi que l'objectif à bascule et à décentrement 24 mm, très utile pour les photographies d'architecture) le photographe peut restituer fidèlement ses émotions.

Photogravure Prodima, Bilbao, Espagne
Achevé d'imprimer en Italie
sur les presses de Grafedit à Bergamo
Dépôt légal 7168 – septembre 1999
ISBN 2.84277.031.5
34.1193.1/03